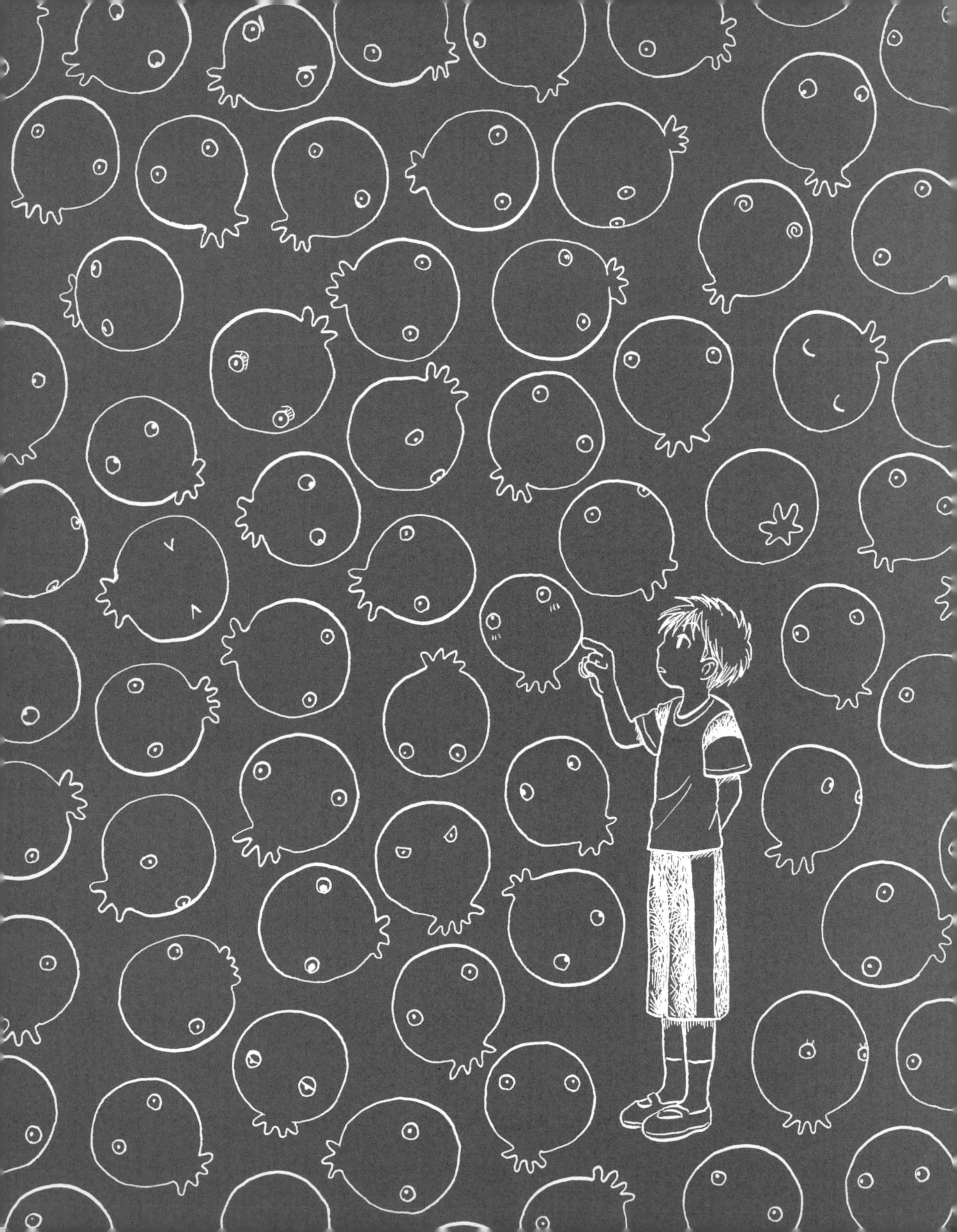

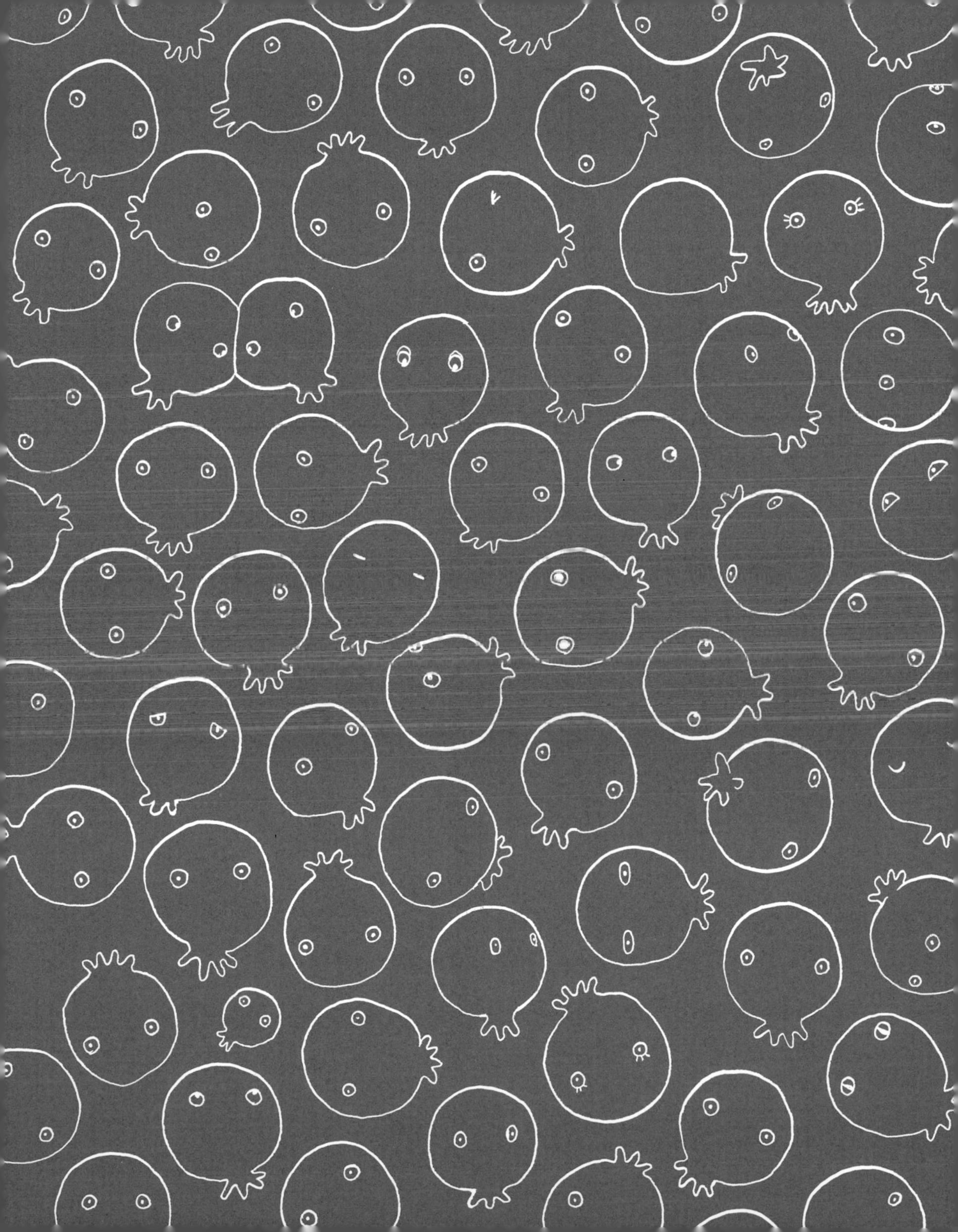

妖怪醫院 3
校園妖怪大作戰
文 富安陽子 圖 小松良佳 譯 游韻馨

熟悉的學校，一如往常的星期三，學校舉辦健康檢查。
輪到我走進保健室時，我嚇了一大跳！
坐在保健室裡的竟然不是原來的校醫，
而是一臉嚴肅、脖子上掛著聽診器，
全世界絕無僅有的
妖怪內科名醫鬼燈京十郎！
他為什麼會在這裡？他來這裡做什麼？
鬼燈醫生為什麼出現在我的學校裡？

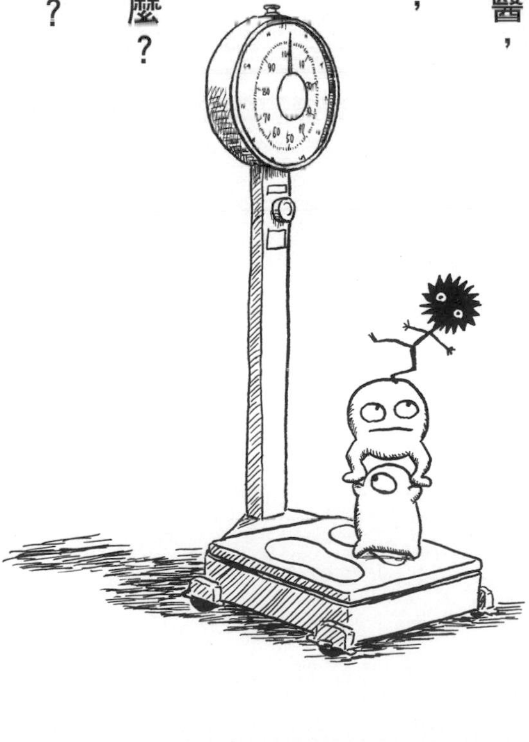

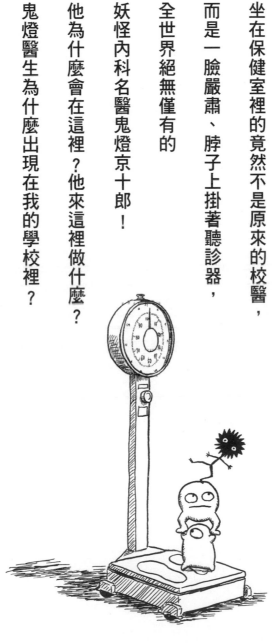

目錄

妖怪醫院 3

校園妖怪大作戰

文 富安陽子　圖 小松良佳　譯 游韻馨

1 妖怪內科醫生

老實說，我曾經去過妖怪世界兩次。大家千萬別誤會，我不是在炫耀。

我並不是因為喜歡才跑去妖怪世界，我是不小心誤闖的。而且每次都被難以捉摸的妖怪內科醫生鬼燈京十郎當助手使喚，因此吃了不少苦。

什麼？你問我這個世界上有妖怪內科的醫生嗎？

當然有啊！就像人生病會去看專門醫治人類的醫生，寵物生病會帶牠們去看獸醫，妖怪的疑難雜症當然就要請妖怪內科醫生出馬才行。

不過，這個世界上的妖怪內科醫生只有一個，就是我在妖怪世界認識的鬼燈京十郎醫生！

鬼燈醫生留著一撮八字鬍，看起來就像一個會耍障眼法的魔術師。他不只眼神凶惡，對待別人的態度也很傲慢，每次都把我使喚來使喚去，還要我去當引誘妖怪的誘餌。下次再遇到他，我一定要小心點才行。

話說回來，我每次誤闖妖怪世界都沒有好事發生，這全都要怪鬼燈醫生。我發誓在短時間之內，我一定要離妖怪世界愈遠愈好。

無奈這個世界並不如我們所想的那麼美好。有些事我們極力想避免，對方卻主動找上門……我想這就是人生吧。

2 鬼燈醫生的健康檢查

今天是五月某個令人昏昏欲睡的星期三。

小學的行事曆上寫著，今天是五、六年級生接受健康檢查的日子。我完全忘了這回事，到學校才想起來。

我們班被安排在第三節接受檢查，我嘀咕著：「唉，還真麻煩」，跟同學一起走向保健室。

在我一腳踏進保健室的那一瞬間，我看到令人不敢置信的景象，整個人嚇得動彈不得。

那位世界上絕無僅有的妖怪內科名醫鬼燈京十郎，竟然坐在有扶手的旋轉椅上，一臉嚴肅的拿著聽診器，放在排隊等待檢查的學生胸口上！

「這傢伙為什麼會出現在這裡？」我不由得這麼想著，強烈懷疑這其中一定有什麼誤會，或許這一切只是一場惡夢？搞不好這是有人在背後搞鬼的惡作劇？

不管怎樣，我想破頭還是想不出原因。為什麼以往只醫治妖怪的鬼燈醫生，竟然會出現在我的學校裡，幫人類的小學生做健康檢查呢？

被僵在原地的我擋住門口的同學，輕輕推了我一把，催促我往前移動。我跟著隊伍往前走，一步步走近拿著聽診器的鬼燈醫生，不禁心跳加速，感到愈來愈緊張。

鬼燈醫生神情專注的進行各項檢查，瞄都沒瞄我一眼。

他拿著聽診器，放在學生的前胸與後背上，再拿起長得像銀色湯匙的小鏡子，放進學生嘴裡檢查牙齒。最後更仔細檢查每個人的眼睛，仔細問診。

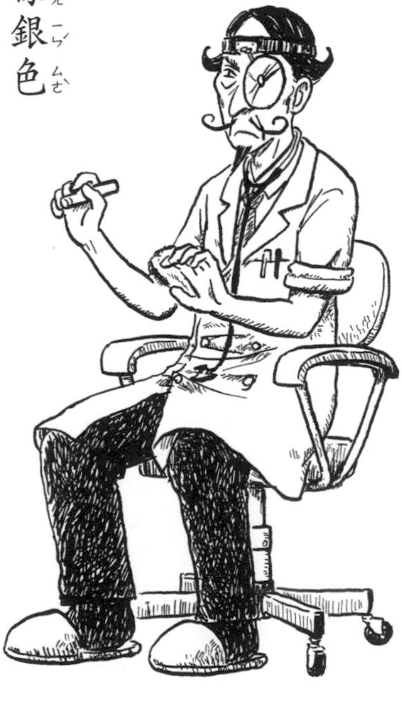

我突然覺得，鬼燈醫生就像真的醫生一樣！接著才想起鬼燈醫院的招牌寫著「妖怪內科」，這麼說的話，鬼燈醫生也能當人類的內科醫生嘍？他該不會從以前就會像這樣到人類世界「出差」吧？

正當我胡思亂想之際，終於輪到我接受檢查。

我坐在鬼燈醫生面前的圓椅上，靜靜盯著醫生。醫生像是不認識我似的拿起聽診器，聽著我的心跳聲說：

「咦？你的心跳好快，而且聲音很大！」

我小聲的回答：「那還用說，我看到你嚇了一大跳！你為什麼會在這裡？你來這裡做什麼？」

醫生終於瞄了我一眼說：「我來找東西。」

「找東西？」

醫生點點頭繼續說：「有一隻妖怪混進人類世界了，我是來找他的。」

我忍不住大叫：「你說什麼！」接著立刻閉上嘴，硬是把後面那句「有妖怪混進來了？」吞回去。

聽到我突然大叫，其他同學全都轉過頭看著我。

醫生趕緊咳了一聲，轉移大家的注意力，接著迅速的看了我一眼，悄悄的說：「待會再跟你說。」

「待會再跟我說是什麼意思？」

醫生對我的問題充耳不聞，轉頭對原本的校醫大喊：

「校醫，這位同學心跳得好厲害啊！我認為有必要再做一次詳細檢查，待會檢查完所有同學之後，可以請他再來保健室一趟嗎？」

校醫親切的回答：「可以啊，沒問題。」既然校醫都這麼說了，我也沒辦法當場拒絕，只好站起來，離開保健室。

一隻混進人類世界的妖怪

來找妖怪的鬼燈醫生

在學校恰巧遇見鬼燈醫生的我

這個劇情發展讓我的背脊發涼，我想都不用想就知道接下來沒有好日子過，說不定鬼燈醫生又要我幫他尋找妖怪。

一想到這裡，我就感到很不安，但我也沒有解決辦法。

回到教室後不久，校內廣播發出通知，要我在吃營養午餐之前，先去保健室一趟。

3 可怕的食影蟲

我一個人走到保健室，敲了敲大門。

「請進。」門裡響起鬼燈醫生的聲音。

我開門走進去，站在窗邊的鬼燈醫生轉頭看向我，接著沒頭沒腦的丟出一個問題：

「你聽說過食影蟲嗎？」

「食影蟲？」我重複鬼燈醫生的話，看著他一步步向我走近。

鬼燈醫生走到我面前，看著我的眼睛低聲說：「那傢伙十分難

對付！」

「十、十分難對付？有多難對付？」

鬼燈醫生神情嚴肅的點點頭，說：

「那傢伙非常棘手，要是不趕快找到他，把他帶離人類世界，後果將不堪設想。食影蟲是妖怪世界中十分罕見的昆蟲類妖怪。他們靠產卵繁殖，蟲卵孵出的幼蟲會附在人類影子上，啃食影子維生，逐漸長至成蟲。如果人類被食影蟲的幼蟲附身，影子就會愈來愈淡，失去精神與活力，身體也會變虛弱。等到食影蟲長至成蟲後，便會脫離人類的影子，轉而附身在人類身上。

「食影蟲的成蟲最愛吃人類大腦裡的知識。被成蟲附身的人完全無法吸收知識，無論再怎麼用功都沒用，因為所有知識都會被食影蟲吃光光。正因如此，我必須盡早找到混入人類世界的食影蟲，把他

抓起來，趕出人類的世界才行。」

鬼燈醫生的用堅定的雙眼直直盯著我。

「恭平，你知道這件事的嚴重性嗎？你能想像要是人類世界裡繁殖出一大堆食影蟲，將會有什麼後果？這個世界的未來就寄託在我和你的手中了！」

「太誇張了吧！」我嚇得往後退了一步。「為什麼要把我也算進去？」

「你在說什麼傻話？這不是我的危機，而是你的危機，也是你學校的危機啊！因為那隻食影蟲就在你的學校裡，他正附身在這所學校的某個人身上！」鬼燈醫生用不可思議的表情看著我。

「你是說真的嗎？」我又再次嚇得往後退一步。「我的學校裡有妖怪？等等，你百分之百確定嗎？為什麼你知道食影蟲就在我的學校裡？」

「我早就查清楚他的逃亡路徑，」醫生一臉自豪的抬頭挺胸，「哼」了一聲繼續說：「我可以確定他逃到這附近，這附近唯一的學校就是你念的這所小學。就像我剛才說的，那傢伙最喜歡吃人類的知識，因此學校對他來說是食材最新鮮的吃到飽餐廳。他只要附身在某個人身上，老師就會每天餵他吃熱騰騰、剛出爐的新鮮知識。

他就這樣每天吃、每天吃，時候到了便產卵在某個人的影子裡。兩、三個小時後，那些卵就會孵化出幼蟲，那些幼蟲再繼續吃、不停的吃，只要一個星期就會長大，變成成蟲。長大後的成蟲又去找其他人附身，這個過程將不斷循環下去，沒完沒了。

「恭平，你聽我說，食影蟲只有產卵在人類的影子裡才能繁殖，這就是他們在妖怪世界裡相當罕見的原因。可是，只要有一隻混入人類世界，這個學校很快就會被食影蟲占領。要是到了那個地步，所有知識都會在進入人類大腦之前就被食影蟲吃光光。換句話說，這個學校的所有學生都將無法吸收知識，不管怎麼努力用功，考試只會考零分。」

鬼燈醫生的一席話聽得我冷汗直流。無論怎麼用功念書，考試只會考零分——天下還有比這個更慘的事嗎？要是我被食影蟲附身，我肯定每天都會被媽媽罵，我才不要過這種日子！

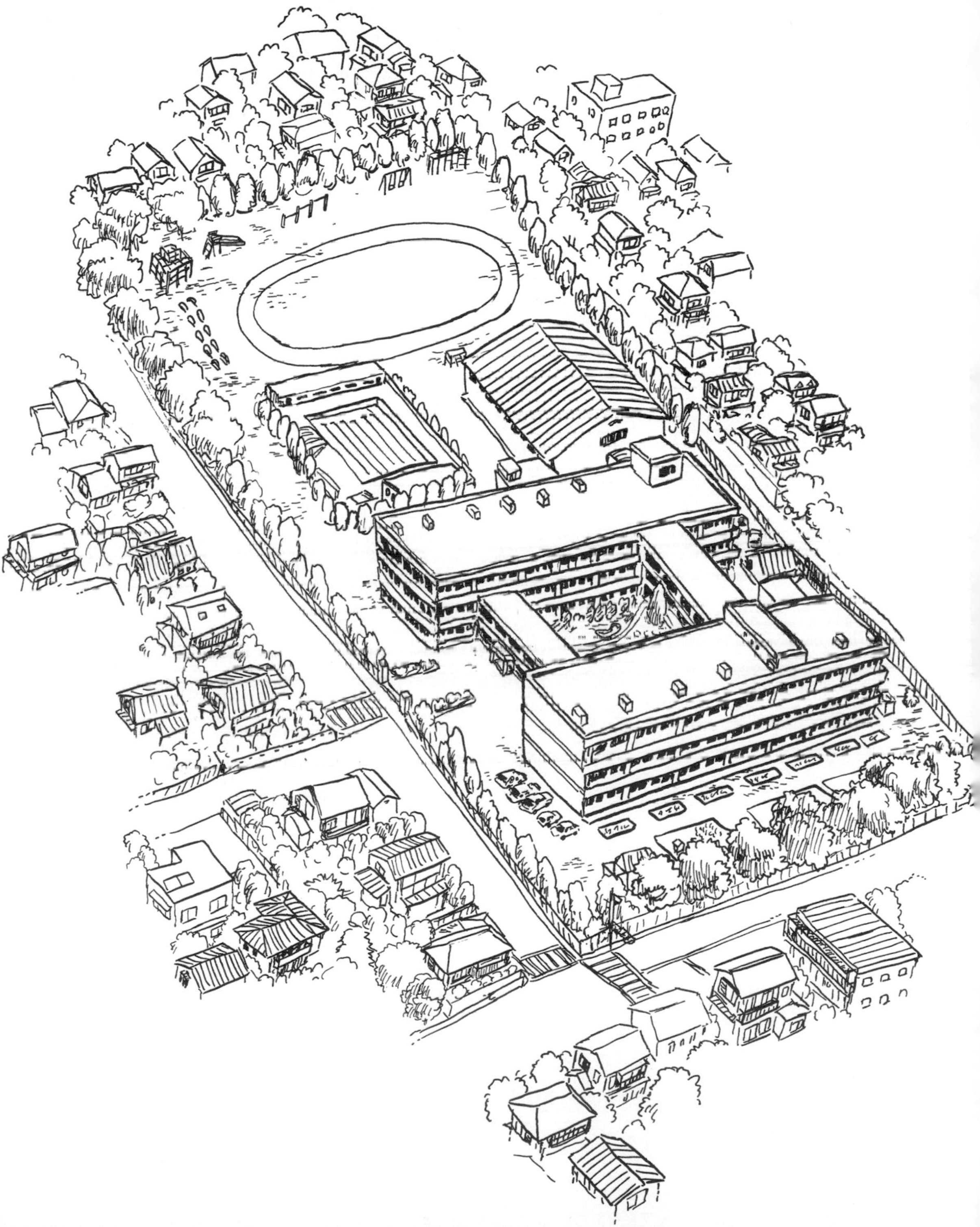

4 消滅食影蟲！

聽到食影蟲可能造成的影響，我忍不住喃喃自語：「一定要想辦法抓到食影蟲才行。可是，要怎麼抓呢？」

鬼燈醫生聽到我的話，立刻點點頭，將手伸進白袍口袋，拿出一個東西，放到我眼前對我說：「你先點這個眼藥水。」

「眼藥水？」鬼燈醫生說的話總是讓我摸不著頭腦。抓妖怪和點眼藥水究竟有什麼關係？

鬼燈醫生將裝著眼藥水的小藥瓶放到我的手裡，開始說明事情

的來龍去脈。

「食影蟲是在今天清晨混入人類世界。那傢伙先埋伏在學校，等學生上課時，趁機附身在其中一個人身上。趁著早上上課的時候，抓準時機在學生的影子裡產卵。食影蟲每次產卵的數量都是三十三顆。現在這個時間，差不多是蟲卵孵化出幼蟲的時候。我們首先要做的就是消滅幼蟲，要是等這些幼蟲長大成蟲，後果就不堪設想了。」

「我們要怎麼消滅幼蟲呢？」我來回看著手中的眼藥水和鬼燈醫生，語氣充滿擔憂。

鬼燈醫生自信滿滿的回答：「這簡單，用腳踩就可以了。食影蟲的幼蟲看起來就像一團輕飄飄的煙霧，只要用腳踩便會消失。換句話說，一旦發現幼蟲附身在別人的影子裡，立刻出腳踩下去即可。唯一的障礙是，一般人類的眼睛看不見幼蟲，他們身上有保護色，會與人類的影子融為一體。因此，你必須點眼藥水。只要點了這瓶眼藥水，你就能看見幼蟲。」

我仔細觀察手中的眼藥水，為了慎重起見，再次向醫生確認：

「這瓶眼藥水沒有副作用吧？」

醫生信誓旦旦的回答：「當然沒有，放一百個心吧。」

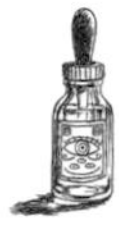

於是我在兩隻眼睛各點了一滴妖怪眼藥水。

就在此時，醫生突然開口：「噢，對了，有件事我忘了說。點了眼藥水之後，不只食影蟲的幼蟲，你可能還會看到其他四處飄蕩的妖怪。你要是看到了，就當他們不存在吧。」

「怎麼可能當他們不存在！」我忍不住衝到醫生面前大叫。「你是故意的吧？你早不說晚不說，偏偏我點了眼藥水才說，你一定是故意的！」

只見醫生又從口袋裡拿出一張似曾相識的符紙。

「好啦！我也該隱形了。」

醫生完全忽略我的問題，將符紙貼在自己胸口。下一秒，他就消失在我的眼前。

我大喊：「鬼燈醫生，你怎麼跑掉了，太不負責任了吧？」

空氣中傳來醫生的聲音：「我哪有跑掉？我只是隱形而已。」健康檢查早就結束了，我這位醫生如果一直在學校裡晃來晃去，任誰看到都會覺得不對勁吧？」

「那你怎麼會隱形？」我緊張的四處張望。

空氣中的聲音再次響起：「你應該還記得吧？我以前在你身上貼過讓妖怪看不見你的避妖護身符，既然有讓妖怪看不見的護身符，當然也有讓人類看不見的護身符啊！我只要貼上避人護身符，人類就看不見我了。」

「原來是這麼一回事。」我點點頭。

鬼燈醫生接著說：「時間差不多了，開始行動吧！你負責找出幼蟲並踩死他們。不管是午休還是上課，一定要隨時注意同學們的影子。一發現幼蟲就狠狠踩下去。我負責找出成蟲。成蟲和幼蟲不同，成蟲會進入宿主體內，所以我一定要查看人類的眼睛深處才看得到。五、六年級生已經在剛剛檢查時全部看過，現在只剩一到四年級的學生，我可以肯定，食影蟲就附身在他們其中一人的身上。」

5我看見一堆妖怪！

我與鬼燈醫生約好，待會第五節的下課時間，在三樓穿廊碰面。一切安排好後，我離開了保健室。

從現在開始，我得靠自己的力量找出食影蟲的幼蟲。雖然我不知道食影蟲究竟是什麼，也不清楚他們長什麼樣子，但我現在唯一能做的就是努力尋找。

我打算吃完營養午餐後去學校操場，查看在操場上玩耍的學生們的影子。幾乎所有學生都會趁著午休時間到操場玩遊戲或運動，

我想藉由這個機會一網打盡。

由於我剛才被叫到保健室去，早已錯過拿營養午餐的時間，我想大家應該已經開動了，我得趕快回教室吃飯才行。

每到午餐時間，學校廣播就會播放輕柔音樂。現在整棟校舍沉浸在悅耳的音樂之中，加上食物的香氣，令人食慾大開。所有學生都乖乖待在教室吃飯，走廊上空無一人。

我急急忙忙的爬上樓梯，心裡一直嘀咕：「我得快點才行……」六年級的教室在三樓，正當我通過二樓，走到通往三樓的階梯平臺時，正巧與一個形狀奇怪的物體擦身而過。

那團物體看起來模糊不清，輕飄飄又帶點透明感，從我前方掠過，往二樓的方向飄。

我好奇的回頭看著那團奇異物體，心中猜想那究竟是什麼。突然間，我驚覺到那是妖怪，忍不住小聲驚呼。

我仔細觀察那團長得像草履蟲的物體，發現他有三隻眼睛和一張大嘴巴。只見他的嘴上下開合，像是在吃東西一般飄過走廊。

我不由得猜想：「他到底在吃什麼啊？我懂了！是香味！那個傢伙一定是在吃營養午餐的香氣……」領悟這一點之後，我繼續往上爬。我一定是因為點了妖怪眼藥水才會看見他。

我想起鬼燈醫生說過的話：「點了眼藥水之後，不只是食影蟲的幼蟲，可能還會看到其他四處飄蕩的妖怪。」醫生的話果然沒錯，而且根本不是「可能」，而是絕對、一定、隨時隨地都能看到妖怪！

點了眼藥水之後，我才發現我們學校裡到處都是妖怪。

我看到一隻妖怪伸長舌頭，津津有味的舔著走廊地面的汙漬；還有一隻妖怪垂掛在天花板上，一會兒伸長身體、一會兒又縮回去；在走廊陰暗的角落裡還蹲著另一隻妖怪。

「我就知道，每次遇到鬼燈醫生都沒好事……」我輕輕的嘆了一口氣。

現在我只要一個不小心就會與妖怪四目相對。那些妖怪一和我對上眼，便往我靠近。我可不希望吸引妖怪過來，所以我盡可能不去看他們，直接走進教室。

我一進門，發現其他同學早就開始吃午餐，而且都已經吃到一半了。有些同學吃得比較快，早已吃完第一盤，正在大鍋子前面排隊，等著添第二盤。

今天的菜色有熱狗麵包、義大利雜菜湯與鮮嫩炸雞塊。我發現大鐵盤裡的炸雞塊已經被搶光，內心覺得很可惜，於是趕緊坐回自己的座位，大口吃起同學幫我放在桌上的營養午餐。

坐在我旁邊的濱田康二對我說：「恭平，午休時間要去操場踢足球喔！」

我狼吞虎嚥的吃著午餐，嘴裡塞滿熱狗麵包，好不容易才全部吞進去。

此時，我看到一隻大嘴妖怪飄過窗外的走廊，就是我剛剛遇見，往二樓走廊飄的奇怪物體。

那隻妖怪跟剛才一樣，大嘴一開一合，吃著營養午餐的香氣。

我偷偷看他一眼，只見大嘴妖怪穿透窗戶，飄進我們班，開始在教室裡晃來晃去。

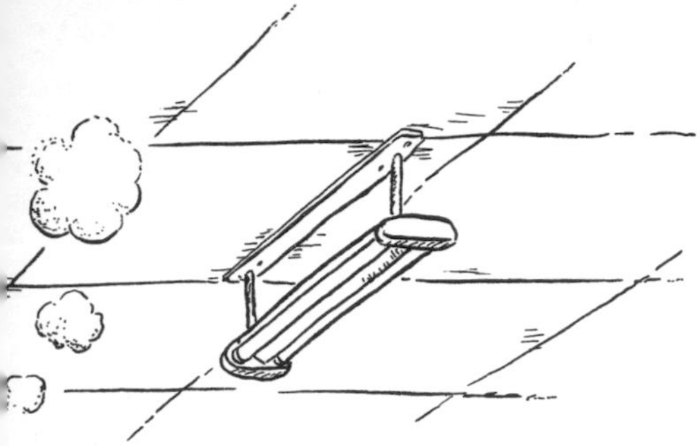

這隻長得像透明草履蟲的妖怪，轉動著臉上的三隻小眼睛，大嘴一開一合，在我們頭上飄過來、飄過去，讓人感覺很不舒服。

一個同學掀開大湯鍋的鍋蓋，熱騰騰的蒸氣立刻冒上來，大嘴妖怪飛奔過去，大口吃著與熱氣一起冒上來的香味。

另一個同學咬了一口鮮嫩炸雞塊，大嘴妖怪又轉身飛到他身邊，津津有味的吃著雞塊香氣。

不一會兒，他又飛到我這裡，在湯盤上吃著食物香味。因為妖怪實在靠得太近，我再也忍不住，舉起一隻手揮向他，低聲怒吼：「不要過來啦！」

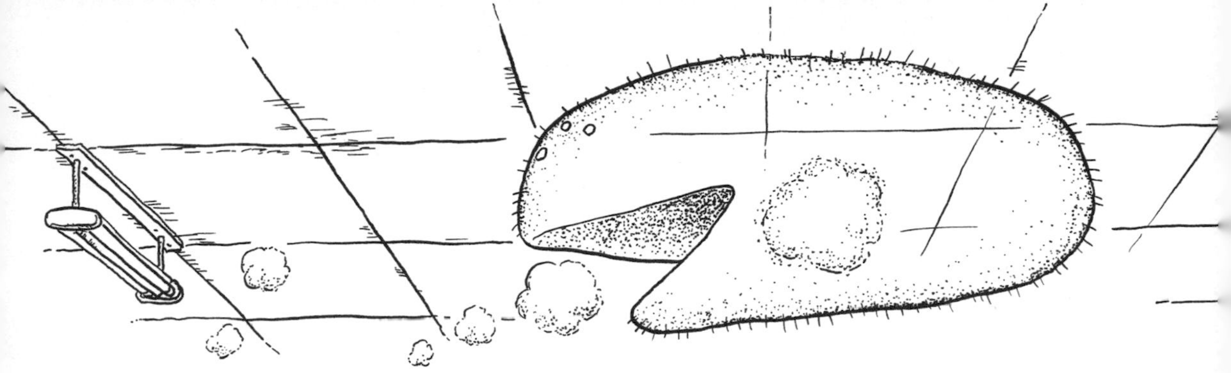

濱田康二聽見我的聲音，轉頭問：「恭平，你剛剛有說話嗎？」

我裝作沒事，說：「什麼？沒有啊，我什麼話都沒說，我沒說話。」接著趕緊將目光從妖怪身上移開，餘光卻瞥見地板上的異狀。

陽光從玻璃窗灑進來，照在濱田康二身上，在地板映出他的影子。當我的餘光掃過盤踞在他桌腳邊的影子時，我的心忍不住猛烈的跳動。

有東西在動！

我真的看到某個物體在濱田康二的影子裡動來動去！

6 發現食影蟲幼蟲！

我立刻移開目光，鎮定的屏住呼吸，再次定睛一看。

我真的看見了，黑黑的影子裡有某個物體。

那東西長得就像蟬的幼蟲，只是體型大許多，差不多跟我的一公升水壺一樣大。身體的顏色幾乎跟影子無異，側腹部還有三個類似八目鰻眼睛的圓形圖案。

我在心中大喊：「找到了！那就是食影蟲的幼蟲！」

正當我盯著食影蟲之際，耳邊傳來康二的聲音。「恭平，你怎麼了？你今天怪怪的。」

我毫不猶豫的推開椅子，站了起來，康二被我突如其來的舉動嚇一跳。我吞了一口口水，對康二說：「康二，你聽我說。你要冷靜，不要動，千萬不要動喔！」

我擺好姿勢，準備踩死附身在康二影子裡的食影蟲幼蟲。我調整呼吸，按捺住撲通撲通的心跳，重重的往康二的影子一腳踩下去。

康二神色大變的看著我一步步向他逼近，臉上表情十分驚恐。

「你、你要做什麼？要跟我打架嗎？」

康二也推開椅子，站了起來，對著我做出雙手握拳的姿勢。他

的影子跟著移動，映照在地板上。

附身在影子裡的食影蟲幼蟲扭動著身軀，往影子的頭部移動。

看到幼蟲的動作，我忍不住開口：「可惡！你這傢伙不要亂動！」

康二不甘示弱的回嗆：「你說什麼？我不能動嗎？」

「不，我不是在說你！」我趕緊向康二解釋。

此時移動到影子頭部的食影蟲，又扭來扭去的往臉部中央前進。

食影蟲的幼蟲可能感受到殺氣，想要逃走，我不禁慌了手腳。

「討厭！又給我亂動！你這傢伙，看我現在就消滅你！」我將全身的力量放在右腳，往地板上康二的影子……不，是往影子裡的幼蟲踩下去。

踩一腳還不夠，我又多踩了好幾下，用兩隻腳用力的踩向幼蟲。幼蟲被我踩到之後，就像被風吹散的灰塵一樣灰飛煙滅、消失無蹤。

確定食影蟲的幼蟲消失不見後，我才停止踩踏的動作，大大的吐了一口氣。

「恭平……」我聽見康二叫著我的名字，回神一看，才發現全班所有同學都盯著我看。

我馬上故作沒事般的說：「嘿嘿，沒事啦，我只是在活動身體而已……」儘管我演得很認真，但我相信同學們一定覺得我很奇怪。突然莫名其妙的嚷嚷，還拚命踩著同學的影子，怎麼看怎麼怪。

就連我的班導黑澤達治老師也一臉憂慮——正確來說，應該是一臉狐疑的看著我。

黑澤老師問我：「峰岸同學，你怎麼了？今天做健康檢查的時候，醫生好像說你有什麼問題，你是不是身體不舒服啊？」

「沒有，我……」我還來不及說出「很好」，我看著地面的眼睛又發現另一個異狀。黑澤老師的桌子在教室前方的窗戶旁，剛才他正坐在桌前吃午餐。現在他站起來看向我，他的影子也跟著映照在教室地板上。

我倒抽了一口氣，因為老師影子的頭部附近，也有一隻食影蟲的幼蟲在那裡扭動著。不僅如此，我還看到那隻幼蟲伸出像鳥喙一樣又尖又長的口器，刺入老師的影子，像是在吸取美味汁液的模樣。這表示那隻食影蟲的幼蟲正在吃老師的影子！

那隻幼蟲伸出尖嘴做出吸取汁液的動作，老師的影子也隨著他的動作變得愈來愈淡。

不行！我不能置之不管，一定要立刻消滅幼蟲，否則老師就有危險了。可是，有了剛才的經驗，我絕對不能又在全班面前踩老師的影子，不然我會被當成瘋子。

我靈機一動，一邊說話，一邊往老師的影子走過去。「老師，其實是這樣的。剛才好像有螞蟻跑進我的鞋子裡咬我的腳，所以我想要踩死螞蟻，就像這樣……」

我假裝解釋自己剛才的行為，順勢做出雙腳踩地的動作，用力踩踏附身在老師影子頭部的幼蟲。

第二隻食影蟲的幼蟲就像第一隻一樣被我踩扁，像灰塵一般飄散在空氣裡。

聽了我的解釋之後，黑澤老師說：「原來是這樣啊。好，沒事就好。」

雖然老師和同學還是半信半疑的看著我，但我完全不在意。

無論如何，我已經消滅了兩隻幼蟲，還剩下三十一隻。我沒有時間再拖拖拉拉，得加緊腳步才行。

我趕緊吃完午餐，收拾餐具，決定不跟康二去踢足球，自己一個人跑到操場。

從走出教室到鞋櫃這段路程裡，我一直低頭盯著映照在走廊地面的那些影子。

我在隔壁班的六年級男同學影子裡發現一隻幼蟲，還在另一名女同學的影子裡也找到一隻，都被我成功的消滅了。

在我的眼睛適應了黑暗後，我也愈來愈能精準找到藏匿在影子裡的幼蟲蹤跡。

由於幼蟲的體型很大，習慣之後我更不可能遺漏，於是我找出一隻又一隻的幼蟲，澈底踩死他們。

雖然覺得「踩死幼蟲」這幾個字聽起來很噁心，那些幼蟲也好可憐，但他們畢竟是妖怪。說是妖怪，但幼蟲的身體沒有軟硬，沒有厚度，也沒有具體的形體可以觸摸；就連踩踏時，雙腳也沒有任何感覺。我的腳一踩在幼蟲身上，他們便像煙霧一樣飄散，消失不見。

剛開始我還很認真的用力踩了好幾下，後來我才發現，只要踩一腳，幼蟲便會死亡。

我發覺消滅食影蟲的幼蟲就像我們常玩的「踩影子」遊戲。我走到操場後，開始四處觀察其他同學的影子，專心尋找幼蟲蹤跡。

一旦發現，我便跑到那位同學身邊，假裝與他擦身而過，趁機踩死影子裡的幼蟲。

在第五節上課之前，我總共踩死了二十八隻幼蟲。

7 占卜鈴

當天的第五、六節分別是社會課與公民課。吃完午餐，午休結束後的下午第一節課，總是讓人昏昏欲睡。

直到上課鐘響為止，我花了好多力氣踩死幼蟲；因此，當黑澤老師翻開課本第十六頁大聲唸出內容時，我再也抗拒不了瞌睡蟲的呼喚，連打了三個大大的呵欠。

「峰岸同學，不要打呵欠。其他同學也一樣，統統坐好，不准懶懶散散的。」一聽到黑澤老師點名我，我不禁嚇得縮了縮脖子。

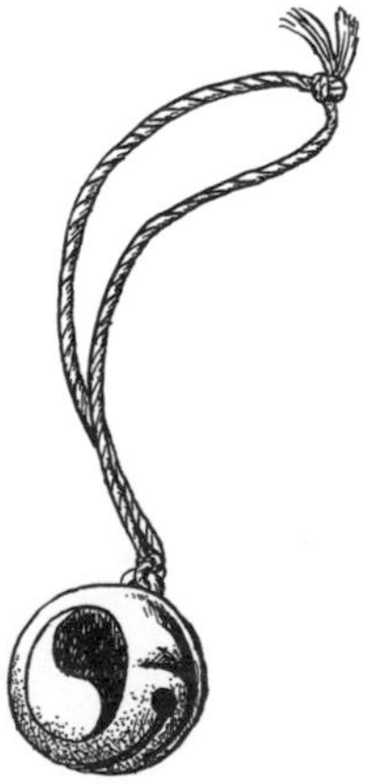

我轉頭看向其他同學，發現每個人眼睛都快閉起來了，只是強忍著睡意，睜大眼睛盯著教科書。

但令人驚訝的是，其中竟有一位同學坐得直挺挺，專注的看著課本。

我心中忍不住懷疑：「奇怪？他今天怎麼那麼認真？」就連班上公認的資優生宮部香織和人稱「秀才」的岩下大地也一臉想睡的樣子，成績表現並不出色的左田宏（我都叫他阿宏），卻正襟危坐的專心聽課，這真的是太可疑了！不僅如此，這可是我入學以來，第一次看到阿宏如此認真聽課的模樣。

希望
希望
社會

阿宏平常不只上課態度不佳，更沒耐心念書。雖然身材高大，但個性粗魯，每次上課都在打瞌睡。這樣的他怎麼會突然心性大變，在全班昏昏欲睡的情形下，獨自一人專心聽講？

「今天不知道中了什麼邪，什麼事都不對勁。」我心裡如此想著，拚命撐過了最難熬的第五節課。

第六節上的是公民課。今天要在視聽教室看影片，所有同學必須趁著下課時間前往視聽教室。

我和鬼燈醫生早已約好在這節下課時間見面，因此一下課我便急急忙忙跑到三樓的穿廊。

穿廊空蕩蕩的，我輕聲呼喚鬼燈醫生，一陣不耐煩的聲音回應：「怎麼這麼慢！」

我看不到醫生的身影，可見他還貼著避人護身符。

處於隱形狀態的醫生問我：「事情辦得怎麼樣？」

「一切順利！不過還沒有全部消滅。包括午餐和午休時間在內，我總共踩死了二十八隻幼蟲。」

「嗯，成績不錯。我在找成蟲時也踩死了四隻，所以……」

「就是說只剩一隻了！對吧？」我立刻接話。

「嗯。」醫生回答。

我接著問：「那你呢？有找到成蟲嗎？」

「沒有，還沒找到。」

「從一年級到四年級的所有學生，你全都找過了嗎？」

「還沒，全部檢查太花時間，所以我先縮小搜索範圍。恭平，你把手伸出來。」

我按照醫生的意思伸出右手，醫生丟了一樣東西到我手心裡。

那是一顆小小的銀色鈴鐺。

這顆鈴鐺比我之前拿到的「鬼燈球魔法鈴」還小一點，表面閃著鈍光，上面畫著一黑一白的蝌蚪彼此追逐的模樣。

鬼燈醫生對我解釋：「這是占卜鈴。簡單來說，就是用來探測妖怪的蹤跡，只要感應到附近有能力很強的妖怪就會響。占卜鈴對於在學校裡閒晃的低等妖怪，以及食影蟲幼蟲這類等級的妖怪不會產生任何反應；但若是遇到食影蟲的成蟲，它就會大響特響。我剛剛就是拿著占卜鈴巡遍了一到四年級的教室，不過，它完全沒動靜。恭平，你有什麼想法？」

如果到處都找不到，那食影蟲的成蟲究竟跑到哪兒去了？我想了一會兒回答：「會不會他根本不在學校裡？或許他從頭到尾就沒進來過？」

「不可能。要是成蟲不在這所學校，他就不可能在學生影子裡產卵，也不可能孵化出幼蟲。既然這所學校裡有幼蟲，就代表成蟲一定在這附近。」醫生說。

我又想了一會兒，接著說：「所有學生都檢查過了，那剩下的就是老師。我曾經在黑澤老師的影子裡找到一隻幼蟲，說不定成蟲也附身在老師身上……」

醫生喃喃的說：「雖然你說的也有道理，但我認為可能性很低。因為食影蟲成蟲最喜歡的食物就是新鮮的知識，所以比起老師，附身在小學生身上更能吃到剛出爐的知識。這也是成蟲大多附身在小孩身上的原因。」

「這樣啊，他們到底在哪裡呢？」話題繞了一圈，換我向鬼燈醫生問同樣的問題。

「鬼燈醫生，我們到底要到哪裡才能找到剩下的那隻成蟲跟那隻幼蟲？」

8 最後一隻

「啊！」我話才說完，鬼燈醫生突然大叫了起來。

我嚇得往後退一步。「怎、怎麼了？發生什麼事了嗎？」

鬼燈醫生大喊：「我找到了！」

我驚慌失措的四處張望。「真的嗎？你找到哪一隻？是幼蟲還是成蟲？在哪裡？他在哪裡？」

「在那裡！恭平！最後一隻幼蟲就在你的影子裡！」醫生的回答令我當場愣住，不敢亂動。

「不會吧！」我驚聲大叫，回頭看向映照在穿廊地面的影子。

五月下午的太陽斜掛在空中，陽光將我的影子拖得又細又長。最後一隻幼蟲就在影子的正中間。

食影蟲幼蟲的腹部有三個長得像眼睛的圖案，外觀也長得像蟬的幼蟲。

我全身僵硬，腦中一片空白，直盯著附身在自己影子裡的幼蟲。這還是我第一次這麼近距離、這麼清楚的觀察食影蟲的幼蟲。

就在此時，幼蟲腹部的眼睛圖案突然動了一下，正中間的黑眼球竟往我這裡看過來。

這下我才明白，原來那不是圖案，而是真正的眼睛！

「鬼燈醫生！快點，快點踩死他！」幼蟲緊盯著我，讓我忍不住全身發抖，趕緊向醫生求救。「快點，快點啦，快踩死他！」

「好，看我的。」鬼燈醫生急忙回神。

下一秒，我看見食影蟲的幼蟲被一隻看不見的腳踩扁，像灰塵一樣消散，從我的影子裡消失無蹤。

「沒想到竟然藏在這裡……居然附身在我的影子裡……」我呆呆的站在原地自言自語。「原來我上個星期數學只考四十三分，就是這個原因啊……」

聽到我的話，鬼燈醫生立刻反駁：「沒這回事，那跟食影蟲無關。這隻幼蟲是今天才附身在你身上的，而且幼蟲吃的不是知識，是影子。把上星期考不好的責任推給食影蟲，未免太不符合邏輯，太狡猾了。」

我還在一旁呆愣著，醫生繼續說：「好了，這下子幼蟲全都消滅了。」他語氣中充滿鬆一口氣的感覺。

鬼燈醫生跟我成功消滅了三十三隻幼蟲，現在唯一的目標就是那隻成蟲。

我問醫生：「一定要抓到那隻成蟲嗎？不能就這麼算了嗎？」

醫生嚴厲的回答：「當然不行！食影蟲的成蟲每天會產一次卵，每次生三十三顆。第三次產卵之後就會消失躲起來，消失後的成蟲只能再產一次卵。換句話說，如果就這麼不管他，明天和後天還會各產三十三顆卵，總計六十六顆。

「這六十六顆卵會全部孵化為幼蟲。你想想，要是這六十六隻幼蟲全部長大成蟲，而且產卵，將會導致什麼後果？

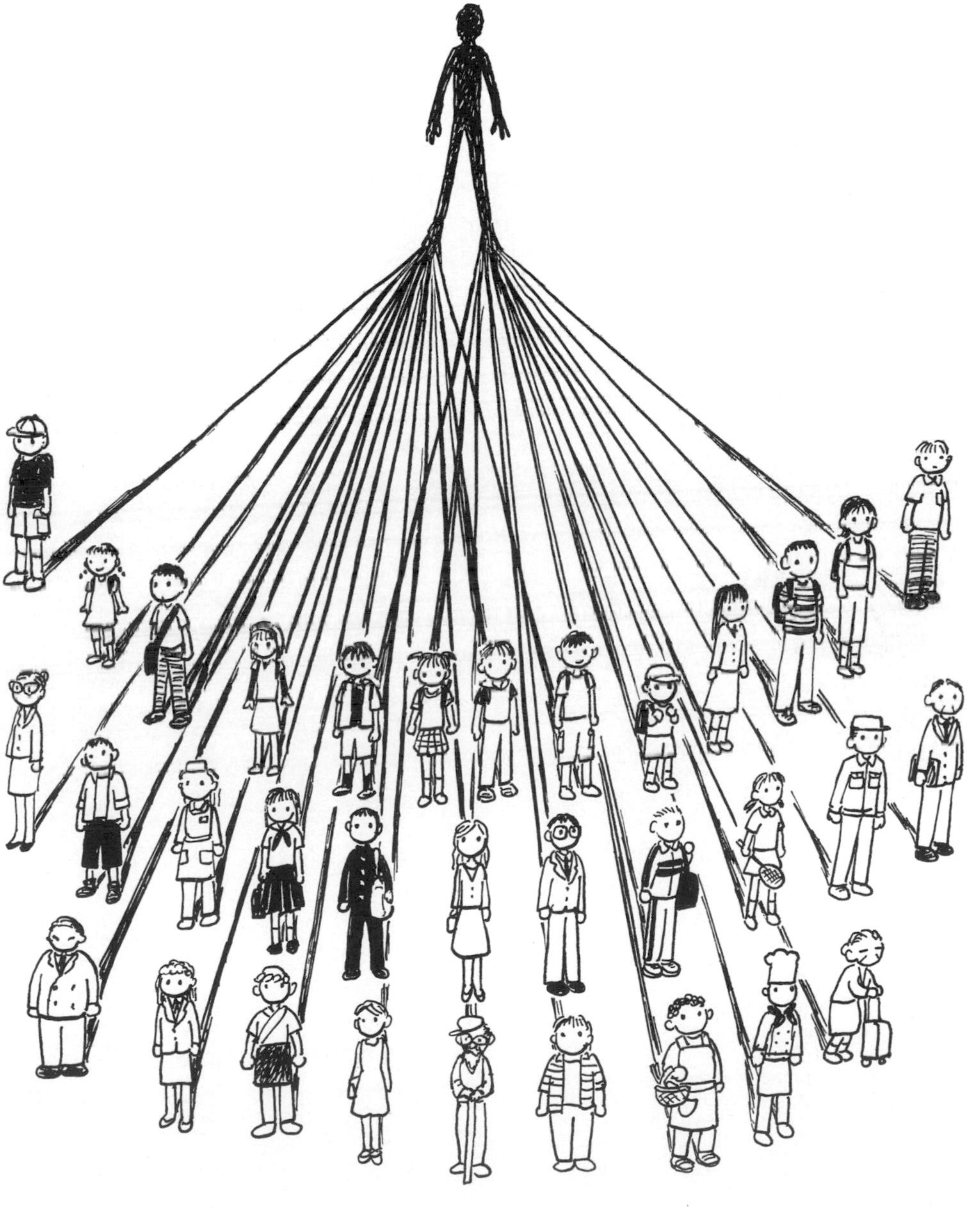

「一隻成蟲會產下三十三顆卵，總共生三次，也就是九十九顆卵。六十六隻成蟲各產下九十九顆卵，就會孵化出六千五百三十四隻幼蟲啊！接著這些幼蟲又會長為成蟲，繼續產卵……」

「不要再說了！」我整張臉皺在一起，雖然我算不出這個天文數字，但我清楚知道要是置之不理，後果不堪設想。

鬼燈醫生接著說：「那隻成蟲還在學校裡，一定要在今天放學前找到他，否則他就會附身在某位學生身上，跟著那位學生離開學校。事情一旦到了那個地步就很難收拾了。若是明天那隻成蟲在校外產卵，幼蟲會立刻擴散開來，整個城鎮都無法倖免……說不定還會附身在其他人的影子裡，擴散至其他城鎮。要是變成那樣，到那個地步，我們做什麼都沒用了。所以一定要在事情無法挽回之前，趕緊捕獲成蟲。」

聽完鬼燈醫生的說明後，我輕嘆了一口氣，開始猜想：「那隻成蟲到底在哪裡？我還是覺得他可能附身在老師的影子裡……」

正當我喃喃自語時，占卜鈴突然響了起來。我完全沒晃動鈴鐺，它卻「叮鈴鈴」的響了三下。

9 占卜鈴響個不停！

「咦？」我張開手，仔細查看剛才鬼燈醫生交給我的鈴鐺。

醫生說這個叫「占卜鈴」，可以探測妖怪的蹤跡。可是不知道為什麼，現在穿廊明明沒人，它卻響了起來……就在這個時候，我聽見有人叫我：

「喂，恭平，你在這裡做什麼？」

我嚇了一跳，反射性的抬起頭，看到我的同班同學阿宏，站在穿廊另一端的校舍通道口看著我。

「哇！嚇死我了，原來是阿宏啊……」我才小聲的說完，占卜鈴又再次響起。

「那是什麼聲音？」阿宏一邊說一邊朝我走來。我一緊張便忍不住握緊響個不停的占卜鈴。可是無論我握得多緊，占卜鈴還是一直在響。

「到底是什麼啊？給我看看！你為什麼要在這裡搖鈴呢？」

「呃……沒有啊，我只是想轉換一下心情。你聽，這聲音是不是很舒服呢？」

我假裝配合鈴聲搖動占卜鈴。

叮鈴鈴、叮鈴鈴、叮鈴鈴。

叮鈴鈴、叮鈴鈴、叮鈴鈴。

占卜鈴響個不停，阿宏走到我身邊，目不轉睛的看著鈴鐺。

我不禁暗自感到不妙，要是被他發現這個鈴鐺自己會響，我該怎麼解釋才好？姑且不論這個，為什麼占卜鈴會一直響個不停呢？是不是壞掉了？

我在心中大喊：「鬼燈醫生，你快想想辦法啊！」醫生卻依舊維持隱形狀態，完全不理會我的處境。

此時阿宏開口問：「你為什麼會有『占卜鈴』？」

「你說什麼？」我嚇一跳，緊盯著阿宏不放。「阿宏，你為什麼知道『占卜鈴』？」

阿宏突然伸手抓住我的衣領，我大叫：「喂！你幹什麼？」

我拚命扭動身體，想要擺脫阿宏的手，無奈他的力氣比我大很多。他那雙粗壯的手緊緊抓住我，大大的手掌將我的T恤領子捏成一團。

「喂！回答我，你為什麼會有占卜鈴？」阿宏的聲音聽起來相當嚴厲。

「呃……沒有為什麼……」我說話支支吾吾的，還在想該怎麼騙過他。

阿宏大力的扭著我的衣領，抓得我雙腳都快要離地了。

「還不快回答我！」

我聽著響個沒完的鈴聲，不禁心想，每次遇到鬼燈醫生都沒好事，真倒楣！

這個故障的占卜鈴究竟是怎麼一回事？幹什麼沒事一直響啊？而且，為什麼阿宏會知道占卜鈴呢？我又為什麼一定要跟阿宏解釋呢？我根本沒做錯什麼事啊！

正當我們兩人僵持不下之際，第六節上課鈴聲響起了。宏亮的上課鈴聲蓋過占卜鈴的聲音，我和阿宏同時抬頭看向天花板。兩個同學一邊跑過我們身邊，一邊對我們說：

「恭平、阿宏，快走吧，要上課了！」

「快遲到嘍！」

阿宏「呿」了一聲，鬆開我的衣領。

好不容易擺脫危機，我伸手撫平領子，瞄向阿宏的眼睛時，嚇得吞了一口口水。

「這件事還沒結束，第六節下課後，你一定要回答我的問題。」

阿宏說完話，便跟在其他同學後面，往視聽教室的方向跑去。

我看著阿宏的背影，喃喃的說：

「阿宏的眼睛有東西……有東西從他的眼睛裡看著我……」

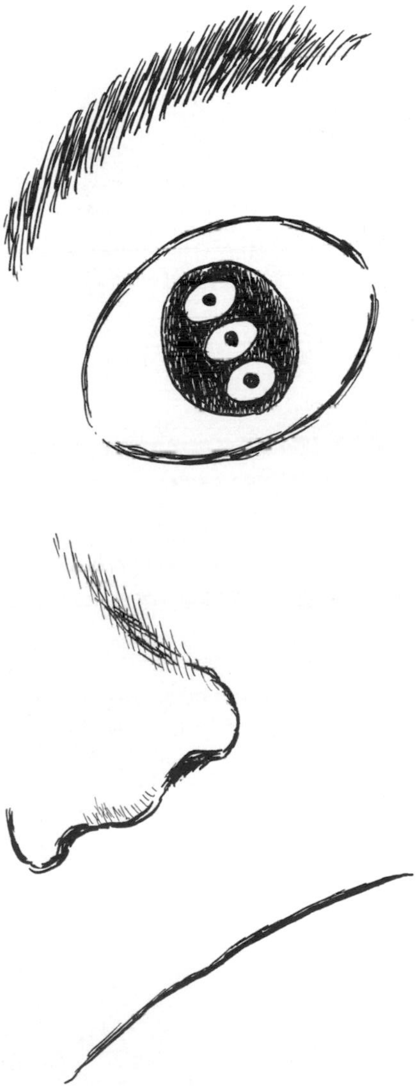

10 發現成蟲！

我一回神，才發現占卜鈴安靜下來。我的身後傳來鬼燈醫生的聲音：「我知道成蟲在哪裡了。」

「真的嗎？」我忘了我看不見鬼燈醫生，回頭看向聲音的源頭。

空氣中再次傳來鬼燈醫生的聲音：

「你應該也發現了吧？成蟲附身在剛剛那位同學身上。」

「可是……阿宏跟我一樣都是六年級生，如果他被成蟲附身，之前健康檢查的時候，一定會被你發現才對。」

「那位同學沒有接受健康檢查，我剛剛沒看到他。食影蟲的成蟲可以控制自己的宿主，我猜想他已經發現我假扮校醫，才會讓那位同學不去參加健康檢查。」

「照你這麼說，阿宏是受到食影蟲的操控，才會問我占卜鈴的事情，還抓我的衣領嘍？」

「沒錯，就是這麼一回事。若不是這樣，普通的人類小孩是不可能知道占卜鈴的事情。」

我忍不住嘟嘴抱怨：「我剛剛真是嚇死了！你為什麼不救我？明知道阿宏被成蟲附身，還不趕快把他抓起來！」

「事情沒有這麼簡單，我必須先將食影蟲引誘出來才行。再說，不要讓其他人知道我們聯手比較好。我相信食影蟲還沒發現我，他

現在是透過人類的眼睛看這個世界，我身上貼著避人護身符，所以他看不見我。可是，他現在注意到你了，他知道你踩死幼蟲，身上又有占卜鈴，這正是我想要的結果。我要趁他將所有注意力放在你身上的時候，看準時機將他抓起來。」

「你打算怎麼做？」我對著隱形的鬼燈醫生問。

「首先，要將你的同學帶到陰暗的地方，如此一來，食影蟲便分不清哪裡是體內、哪裡是體外，他會自己爬出宿主的身體，來到陰暗處。」

我又問：「那要怎麼把阿宏帶到陰暗的地方？」

「這就是問題所在……」鬼燈醫生說：「恭平，你的學校有沒有什麼地方比較陰暗？一定要找一個光線照不進去，完全黑暗的地方，像是平時緊閉的體育倉庫或理科實驗室，然後再將你同學引到那邊去。」

「不行啦，這種事怎麼可能做得到？體育倉庫和理科實驗室都有窗戶。再說，就算真的有一片漆黑的房間，也不可能把阿宏關到那裡面。那傢伙一定會大發雷霆，引起一陣混亂……」說到一半，我想起某件事。「對了……我想起來了，視聽教室播放影片時會拉上厚厚的窗簾，教室裡會很暗……」

「室町教室？那是什麼？」

「是視聽教室，就在一樓最角落的地方。今天第六節的公民課要在視聽教室看影片，所有同學，包括阿宏，現在都往教室去了。每年暑假的『和平返校日』，五、六年級生都要在視聽教室欣賞影片。播放影片的時候老師會把教室弄得暗暗的，我想那裡應該是最好的選擇……」

「真是天助我也！你那個同學現在應該已經在視聽教室裡了吧？」醫生開心的大喊。

「沒錯，我也得趕快過去才行，我已經遲到了，一定會被黑澤老

師罵一頓。」

「好，你快去吧！」醫生說完，便用看不見的手推我一把。

我立刻朝視聽教室的方向跑去，聽見醫生的腳步聲一直跟在我身邊。

此時，正好有一隻長得像果凍的妖怪與我擦身而過，我回頭看了一眼，轉頭問醫生：「眼藥水的效果會持續多久啊？」

「不用擔心，晚上就會失效了。」

「什麼？我要到晚上才不會看見妖怪！」我嘆了一口氣。要是回家後在自己房間看到妖怪，我該怎麼辦才好？

走廊盡頭就是視聽教室的大門，我進去之前，忍不住提醒鬼燈醫生：「你應該知道吧？現在所有人都在教室裡上課，但你不能仗著沒人看得見你，就突然拉上窗簾喔！」

「我當然知道，我已經想好對策了。恭平，你才要注意，千萬別礙手礙腳的。從現在開始，無論教室裡發生什麼事，或是你看見什麼，絕對不能有任何反應，一定要裝作什麼都不知道！」

「知道啦。」老實說我有點擔心，不知道鬼燈醫生要做什麼，但事已至此，我也不能多說什麼，只好點點頭，靜觀其變。

11 瞌睡蟲

我走進教室時已經遲到十分鐘，老師已經開始播放影片了。於是我擺出痛苦的表情跟老師說：「我剛剛肚子痛，去了一趟廁所。」使出苦肉計，好不容易才讓老師放過我。

我坐到自己的位置上，環顧四周，發現阿宏又特別專心上課，目不轉睛的看著影片。

我小聲的嘀咕：「那傢伙到底是怎麼回事？怎麼突然變成模範生啦……」

鬼燈醫生在我耳邊悄悄的說：「那是因為食影蟲肚子餓了。我猜他一附身才發現那位同學腦袋空空，根本沒有足夠的知識餵飽他。肚子餓的食影蟲想吃新鮮的知識，會控制宿主努力用功。」原來是這麼一回事啊！這下子我終於明白阿宏

為什麼在第五節的社會課和第六節的公民課都這麼專心，跟平時的他完全不一樣。

「好了，我也該來實行計畫了……」聽到鬼燈醫生這麼說，我不禁心跳加速。不知道醫生想做什麼？在令人昏昏欲睡的第六節課，漆黑一片的視聽教室裡，待會究竟會發生什麼事呢？

最先引起我注意的是一股淡淡的味道，我似乎在哪兒聞過，好像是花朵的甜甜香氣。

我一直以為是我的錯覺，但我聽見我前面的岩本亞弓小聲的對她旁邊的立花惠莉花說：「你有沒有聞到一股香香的味道？」

我才確定自己沒有搞錯，再次深呼吸，聞了一下香氣。

咦？這香氣很像我家廁所用的芳香劑，我記得是青衣……金衣……不對，是薰衣草的味道！

薰衣草的香味似乎開始瀰漫整間教室，不一會兒，我發現所有同學都驚訝的四處張望，用力聞著這股香氣。

此時黑澤老師開口問：「是不是有同學擦香水？」

老師話一說完，突然有一隻妖怪穿過緊閉的教室大門，緩緩飄

了進來。

那隻妖怪看起來很像一顆黑色氣球，鼓得圓圓的身體上方有兩顆很可愛的眼睛。就連移動方式也跟氣球一樣，像是在空氣中跳舞，來回飄蕩。

令人驚訝的是，黑色氣球妖怪不只一隻。第一隻進來之後，不一會兒，第二隻就從牆壁穿過來。再一會兒，第三隻從教室後面的窗戶穿了進來……妖怪愈聚愈多，沒多久，整間視聽教室擠滿了黑色氣球妖怪。

我在心中大喊：「這是怎麼一回事！」但我已經答應鬼燈醫生，

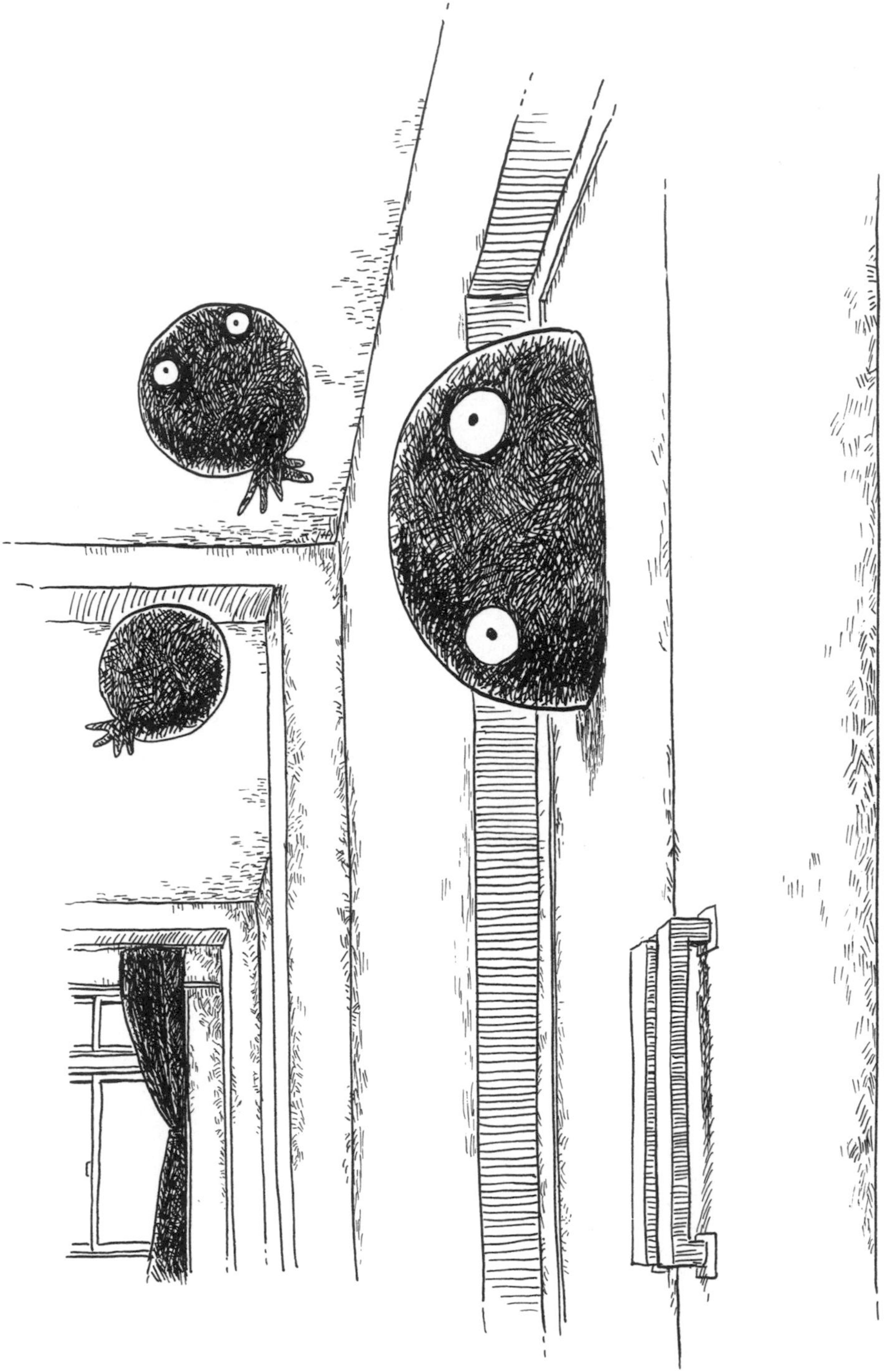

無論教室裡發生任何事，我都會裝作不知道。因此我忍住不說話，靜靜看著在空中飄來飄去的妖怪們。

此時，那些在空中飄動的妖怪一一往下移動，停在專心看影片的同學頭上。被妖怪附身的人看起來就像是頭上腫了一個大包，不過，他們完全沒察覺自己的頭上有妖怪，全都安靜的欣賞影片。

我發現有一隻妖怪想要停在我頭上，趕緊用手輕輕揮走，那隻氣球妖怪就像肥皂泡泡一樣，「啵」的消失了。

由於全班只有我看得到這些氣球妖怪，其他同學都不會像我一樣趕走頭上的妖怪。

我定睛一看，發現所有同學頭上都停著氣球妖怪，就連黑澤老師頭上也是。

我瞠目結舌的看著眼前的景象，所有人的頭上都長了一個黑色大包，感覺有點詭異。

教室裡逐漸出現一些變化，所有人開始「點頭如搗蒜」的打起瞌睡，進入甜甜的夢鄉。有些人直接趴在桌上睡著；有些人則是對著大螢幕低頭打呼；也有人用手托腮，睡得很沉。

黑澤老師坐在教室前方，他雙手抱胸，整個人早已昏睡不醒。

「看來事情進行得很順利！」我的耳邊突然響起說話聲。我嚇了一跳，轉頭一看，發現鬼燈醫生正站在我身後。我看得見他就表示他已經撕下避人護身符。

「發生了什麼事？」我問他。

「我招了瞌睡蟲過來，凡是被他們附身的人就會像你看到的一樣

沉睡。瞌睡蟲是一種很奇特的妖怪，他們總是在吃完午餐的兩、三個小時之內突然出現，附身在人類身上，讓人類昏睡。過了一段時間就會自動消失。不知道為什麼，他們很喜歡薰衣草的味道。我就是利用這一點，將學校裡的瞌睡蟲全部吸引過來。我的看診包裡隨時都放著好幾種吸引妖怪的藥劑，今天總算派上用場了。」鬼燈醫生一邊說著，一邊走向教室後面的窗戶。

他接著說：「好了，趁大家睡著的時候，我們趕緊趁機捉拿食影蟲吧！」

12 如夢似幻的美麗成蟲

就在下一秒，鬼燈醫生拉上厚厚的窗簾，視聽教室瞬間陷入黑暗。醫生拉緊窗簾下緣，遮住窗戶軌道的邊緣，緊密的掩蓋每一扇窗戶，阻斷所有光線。

接著他走向播放器，關掉電源，讓整間教室陷入真正的黑暗。

現在整間教室就連微弱的光線都沒有，形成一個伸手不見五指，深不見底的黑暗世界。待在這樣的空間裡，我有種窒息的感覺。

「鬼燈醫生？」我再也受不了，開口呼喚醫生。

醫生就在我身邊。他悄聲的問：「什麼事？」

「現在這麼黑，我什麼也看不見，待會要是食影蟲出現了，要怎麼抓他啊？」

「噓！」鬼燈醫生示意我不要出聲，接著又說：「不要說話，在旁邊看就好。記住，閉上你的嘴巴，睜大你的雙眼，乖乖看著。好戲就要登場了。」

在黑漆漆的視聽教室裡，只聽見所有人規律的呼吸聲，以及斷斷續續的打呼聲。我雖然看不見阿宏，但知道他坐在哪裡。我睜大雙眼往他的方向看去。

阿宏那裡隱約發出一股微弱的光線，不仔細看根本看不出來——

這次我很確定不是心理作用。在這個沉重的黑暗世界裡，一股藍白色微光漸漸透了出來；光線逐漸變強，在漆黑空間中映照出某個形體。

那是阿宏，阿宏在發光！

阿宏的身體發出藍白色的光！

我拚命忍住想要尖叫的衝動，屏住氣息，靜靜看著發光的阿宏。

身材高大的阿宏縮著身體，趴在桌子上睡著了。阿宏的頭部與隆起的背看起來像一座小山，那股藍白色的光就像水蒸氣一般，從山頂往上冒。光線聚集在空中，形成一個物體。

「恭平，你仔細看，成蟲跑出來了。那就是食影蟲的成蟲。」

正當鬼燈醫生對我說話之際，那股藍白色光線靜止流動，在黑暗中展現出令人驚豔的美麗姿態。

沒想到食影蟲的成蟲竟然是一隻閃閃發光，有著六片翅膀的巨型蜻蜓！翅膀中間還有跟幼蟲時期一模一樣的眼睛圖案……不，那六顆圓滾滾的大眼是貨真價實的眼睛，不是圖案。

體型跟烏鴉一樣大的巨型蜻蜓拍動著六片翅膀，身上發出光芒，在漆黑的視聽教室裡來回飛舞。

我抬頭盯著那如夢似幻的美麗蜻蜓，忍不住喃喃自語：「為什麼食影蟲會發光？他明明是吃影子長大的……」

「光與影本來就是一體兩面。光線的另一個姿態就是影子，影子就像光線的分身。食影蟲在光亮處是一道影子，但在陰暗處就會發光。怎麼樣？很美吧？」

我不發一語的聽著鬼燈醫生的解釋，默默的點點頭。

食影蟲的成蟲真的很美。輕飄飄飛舞的巨型蜻蜓，在籠罩著視聽教室的無盡黑暗映襯下，簡直像是魔法國度裡的美麗精靈。

我入迷的看著食影蟲美麗的身影時，站在我身邊的鬼燈醫生悄悄展開行動，似乎正在口袋裡翻找什麼東西。

我雙眼盯著美麗的食影蟲，開口問：「鬼燈醫生，你打算怎麼抓他呢？」

「我要用蜘蛛網。」

「蜘蛛網？」

我看向醫生，發現他的右手握著一個類似蠶繭，圓圓扁扁的白色物體。

食影蟲拍動發光的透明翅膀，在黑暗的空中盤旋，飛到我的頭頂上。

說時遲，那時快，鬼燈醫生將手中的白色物體朝食影蟲拋過去。白色物體一拋到漆黑的空中，就像鳳仙花種子一般爆開來。只見一個以白色絲線織成的網子從爆開的白色物體中彈出，在空中完全展開，形成一張大大的六角形蜘蛛網。

我不禁「啊」的大叫一聲。

食影蟲被蜘蛛網纏住了，他的六片翅膀不斷顫抖，企圖擺脫蜘蛛網的束縛。

儘管食影蟲不斷扭動身體想要逃走，但蜘蛛網早已緊緊纏住他。接著蜘蛛網開始往內收，被網子纏住的食影蟲也跟著往內蜷。一眨眼的時間，張開的網子又恢復成蠶繭的模樣，掉落在鬼燈醫生的手中。

13 始作俑者竟是……

鬼燈醫生笑著對我說：「你看，抓到了。這次的小旅行終於結束了。」他滿意的看著手裡長得像蠶繭一般，閃著藍白色光芒的白色物體。

仔細一看，還能隱約看到白繭中有個東西正在蠕動。

我不敢置信的問：「食影蟲在這裡面嗎？那麼大的妖怪怎麼能被收到這麼小的東西裡呢？」

鬼燈醫生回答：「影子沒有固定大小。你不妨回想一下自己的

影子，你的影子不也是一會兒變大、一會兒變小嗎？每次看都是不一樣的。食影蟲也是同樣的道理，他們隨時隨地都會因應現狀改變大小。剛剛那隻食影蟲就被收在這個蜘蛛網捲成的繭裡。」

「你打算怎麼辦？你把他帶回妖怪世界後，會怎麼處置他？」我好奇的問。

「這次我一定會好好看著他，不會再讓他跑掉了。」心情大好的鬼燈醫生不小心說溜了嘴。

「這次？好好看著他？」醫生的話讓我一頭霧水。「你的意思是，這隻食影蟲是你不小心讓他跑掉的嗎？難道，他是你養的寵物妖怪？」

「呃……嗯……那個……不是啦……」醫生閃避我的目光，在想該說什麼藉口，但最後決定從實招來。

「沒錯，事情就是你說的那樣。」醫生有點惱羞成怒的說出真相。「他是我飼養的寵物妖怪，平時就住在屋頂下方的閣樓。食影蟲是一種很有趣的妖怪，我很喜歡觀察他，我已經研究他好多年了。食影蟲若是到了人類世界，就會產三次卵，而且在第三天消失；但在妖怪世界，他不僅不會產卵，也不會消失不見。也因為他不會產卵，所以不需要餵食。可是，我有時候也會想要餵他吃新鮮的知

識，所以趁著今天清晨的時候，帶他到人類世界來一趟小旅行。沒想到一個不注意被他跑掉了。我一直在後面追他，但還是在你就讀的小學前面追丟了。」

聽完鬼燈醫生說的話，我忍不住怒火中燒。

一想到他對我說什麼「這不是我的危機，而是你的危機，也是你學校的危機啊！」還強迫我去找食影蟲，想到就一肚子氣，這明明是他惹出來的禍！

我不禁破口大罵：「你竟然從頭到尾瞞著我！還一直對我說食影蟲有多可怕，說得好像世界末日一樣——明明就是你讓食影蟲跑掉的，還敢拖我下水！你自己惹出的麻煩就應該自己收拾，為什麼每次遇到事情都要把我扯下水！」

「你先別氣，別這麼生氣啦！」醫生將收服食影蟲的白繭放進白袍口袋，拉開窗簾。

窗簾拉開的那一刻，耀眼的陽光立刻照進視聽教室，我一時不適應如此強烈的光線，反射性的眨了眨眼睛。

鬼燈醫生接著說：「你要知道，在這個世界上，你是唯一一個看過食影蟲的小孩喔！不要把每件事都往壞處想，若不是我帶食影蟲出來玩的時候讓他溜掉，你也不可能有機會看到這麼美麗的妖怪啊！從這個角度來看，你應該感謝我才對。」

「你少在那裡得意忘形！」雖然嘴裡說得忿忿不平，但我心中已經沒那麼氣了。鬼燈醫生說得對，我確實很慶幸自己能看到像精靈一樣美麗的食影蟲。

「好啦，那我走嘍！」醫生說完，便將影片快轉到現在這個時候應該播放的片段，按下播放鍵。

教室前的大螢幕開始播出公民課的教材內容，其他的同學和老師還在沉睡中。

適應光線之後，我環顧教室，發現瞌睡蟲還停在所有人的頭上。

我問鬼燈醫生：「這些瞌睡蟲該怎麼處理？」

「開窗讓風吹進來，這些瞌睡蟲就會被吹走，他們全都會醒過來。」醫生一邊說一邊往視聽教室的前門走去，接著回頭對我說：「再見了，恭平。想看食影蟲的話，歡迎隨時來找我。」

雖然每次見到鬼燈醫生都對我造成不少困擾，我也總是被惹得氣急敗壞，但和他告別時，心裡卻覺得有些不捨。

所以這一次聽到醫生這麼說，我毫不猶豫的點了點頭。

等鬼燈醫生走出去，確定教室的門關上之後，我打開原本緊閉的窗戶。

風從窗戶吹進教室，吹動桌上筆記本的書頁，同時帶走了教室裡的瞌睡蟲。

我享受著充滿春天味道的涼風，打了一個大大的呵欠，第六節的下課鈴聲也同時響起。

鬼燈京十郎的觀察日記　食影蟲篇

5月16日星期三

今天真是累人啊！

我小心翼翼飼養的食影蟲竟然在人類世界跑掉了！還好我發現他躲在小學裡，想辦法把他抓回來，真是虛驚一場。不過，有一度我真的捏了一把冷汗。

食影蟲是屬於珍稀昆蟲類的妖怪。從卵、幼蟲到成蟲的變態過程，是其他妖怪沒有的特色。食影蟲的成蟲長得很美，我這一生見過無數妖怪，就連我也被他迷得團團轉。

雖說食影蟲只要待在妖怪世界就不用餵食，但我發現若能餵成蟲吃他最喜歡的「人類知識」，成蟲就會變得更加美豔。

為了讓食影蟲長得更好，我偶爾會帶他出去蹓躂，讓他吃一點人類大腦裡的知識。這一次帶他出門，竟然不小心讓他跑走了。

多虧這次驚險的走失經歷，他在逃跑期間吃了不少「人類知識」，現在正在我家閣樓散發動人的光芒，過著幸福快樂的日子。

順帶一提，食影蟲的名稱來自於幼蟲附身在人類影子裡吃影子的習性。

人類的小孩喜歡玩的「踩影子」遊戲，相傳就是以前一個很有名的和尚，為了對抗食影蟲，企圖踩死其幼蟲而發明的。不過，我不知道這個傳聞是不是真的。

話說回來，沒想到這次食影蟲藏匿的地方竟然是峰岸恭平就讀的小學，我和那小子果真有著不解之緣！

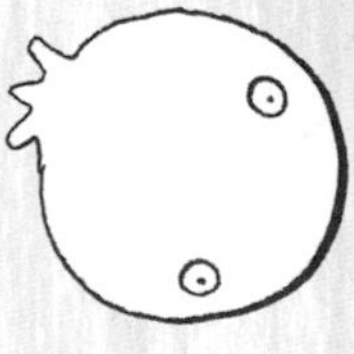

讀書會之妖怪小學堂

解密食影蟲

在本書裡，食影蟲這種妖怪入侵校園，惹出了大麻煩！
我們來複習食影蟲的特徵和習性——
記得避開，
千萬別被附身孵蛋了哦！

食影蟲是一種住在妖怪世界，十分罕見的**昆蟲類妖怪**。食影蟲靠產卵繁殖，蟲卵孵出的幼蟲會附身在人類影子上，以啃食人類的影子維生，逐漸長至成蟲。

如果人類被食影蟲的幼蟲附身，他的影子會愈來愈淡，整個人失去精神與活力，身體也會變虛弱。等到食影蟲長至成蟲之後，便脫離人類的影子，轉而附身在人類身上。成蟲最愛吃**人類腦裡的知識**，被附身的人完全無法吸收知識，再怎麼用功也記不住事情。

食影蟲每次產卵的數量都是**三十三顆**。成蟲產下第三次卵之後就會消失不見；消失後的成蟲只能再產一次卵。

食影蟲的幼蟲看起來就像一團**輕飄飄的煙霧**，只要用腳踩他，他便會像灰塵一樣消失在空中。

一般人類無法用肉眼看到食影蟲的幼蟲。他們身上有保護色，會與人類的影子融為一體。唯一可以辨識他們的方法，就是點**妖怪眼藥水**。不過，妖怪眼藥水的副作用是，其他飄來飄去的鬼影、妖怪，你一樣看得到。

食影蟲的幼蟲，體型差不多跟一公升水壺一樣大。身體的顏色幾乎跟影子無異，側腹部還有三個類似**八目鰻眼睛**的圓形圖案——不過那不是圖案，而是真正的眼睛。

食影蟲的幼蟲啃食人類影子的方式，是伸出像鳥喙一樣又尖又長的口器，刺入影子吸食，模樣就像**用吸管吸取汁液**。

肚子餓的食影蟲喜歡**吃新鮮的知識**，但如果他發現附身的宿主腦袋空空，沒有足夠的知識餵飽他，他就會控制宿主努力用功，以獲取更多知識。

食影蟲的成蟲全身閃閃發光，體型大小跟烏鴉一樣，模樣像**巨型蜻蜓**。他有六片翅膀，翅膀中間還有六顆圓滾滾的大眼睛。

食影蟲在光亮處是一道影子，但在陰暗處就會發光；影子會變大變小，食影蟲也會隨時隨地**因應現狀改變大小**。

小時候會讀、喜歡讀，不保證長大會繼續讀或是讀得懂。我們需要隨著孩子年級的增長提供不同的閱讀環境，讓他們持續享受閱讀，在閱讀中，增長學習能力。這正是【樂讀 456】系列努力的方向。 —— 中央大學學習與教學研究所教授 **柯華葳**

系列特色

1. 專為已經建立閱讀習慣的中高年級以上讀者量身打造。
2. 兩萬到四萬字的中長篇故事，培養孩子的閱讀續航力。
3. 多元化題材及結構完整的故事內容，全面提升閱讀、寫作及表達能力。
4. 「456 讀書會」單元，增進深度理解與獲得新知。

妖怪醫院

世上絕無僅有的【妖怪醫院】開張了！
結合打怪、推理、冒險……「這是什麼鬼！？」
新美南吉兒童文學獎作家富安陽子
最富「人性」與「療效」的奇幻故事

故事說的是妖怪，文字卻很有暖意，從容又有趣。書裡的妖怪都露出了脆弱、好玩的一面。我們跟著男主角出入妖怪世界，也好像是穿越了我們自己的恐懼，看到了妖怪可愛的另一面呢！

——知名童書作家 **林世仁**

生活寫實故事，感受人生中各種滋味

★北市圖好書大家讀推薦入選
★教育部國民中小學新生閱讀推廣計畫選書

★教育部性別平等教育優良讀物
★文建會台灣兒童文學一百選
★中國時報開卷年度最佳童書
★新聞局中小學優良讀物推介

★中華兒童文學獎
★文建會台灣兒童文學一百選
★「好書大家讀」年度最佳讀物
★新聞局中小學優良讀物推介

創意源自生活，優游於現實與奇幻之間

★系列曾獲選好書大家讀年度最佳讀物獎、入選義大利波隆那同書展臺灣館推薦書

《神秘圖書館偵探》系列，乍聽之下是個圖書館發生疑案，要由小偵探解謎的推理故事。細讀後發現不完全是如此，它除了「謎」以外，也個充滿想像力的奇幻故事。

——臺南大學附設實驗小學教師 **溫美玉**

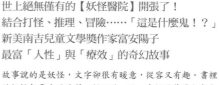

妖怪醫院 3

校園妖怪大作戰

文｜富安陽子
圖｜小松良佳
譯｜游韻馨

責任編輯｜許嘉諾、劉握瑜
美術設計｜林佳慧、王正洪
行銷企劃｜葉怡伶

發行人｜殷允芃
創辦人兼執行長｜何琦瑜
副總經理｜林彥傑
總監｜林欣靜
版權專員｜何晨瑋、黃微真

出版者｜親子天下股份有限公司
地址｜台北市 104 建國北路一段 96 號 4 樓
電話｜（02）2509-2800　傳真｜（02）2509-2462
網址｜ www.parenting.com.tw
讀者服務專線｜（02）2662-0332　週一～週五：09:00~17:30
讀者服務傳真｜（02）2662-6048
客服信箱｜ bill@cw.com.tw
法律顧問｜台英國際商務法律事務所・羅明通律師
製版印刷｜中原造像股份有限公司
總經銷｜大和圖書有限公司 電話：（02）8990-2588

出版日期｜ 2016 年 10 月第一版第一次印行
2021 年 1 月第一版第十四次印行
定　　價｜ 260 元
書　　號｜ BKKCJ037P
ISBN ｜ 978-986-93668-5-4

訂購服務
親子天下 Shopping ｜ shopping.parenting.com.tw
海外・大量訂購｜ parenting@cw.com.tw
書香花園｜台北市建國北路二段 6 巷 11 號　電話（02）2506-1635
劃撥帳號｜ 50331356 親子天下股份有限公司

國家圖書館出版品預行編目（CIP）資料

妖怪醫院 . 3, 校園妖怪大作戰
富安陽子文 ; 小松良佳圖 ; 游韻馨譯 .
第一版 . -- 臺北市 : 親子天下 , 2016.10
136 面 ; 17×21 公分 . --（樂讀 456 系列 ; 37）
ISBN 978-986-93668-5-4(平裝)

861.59　　105017610

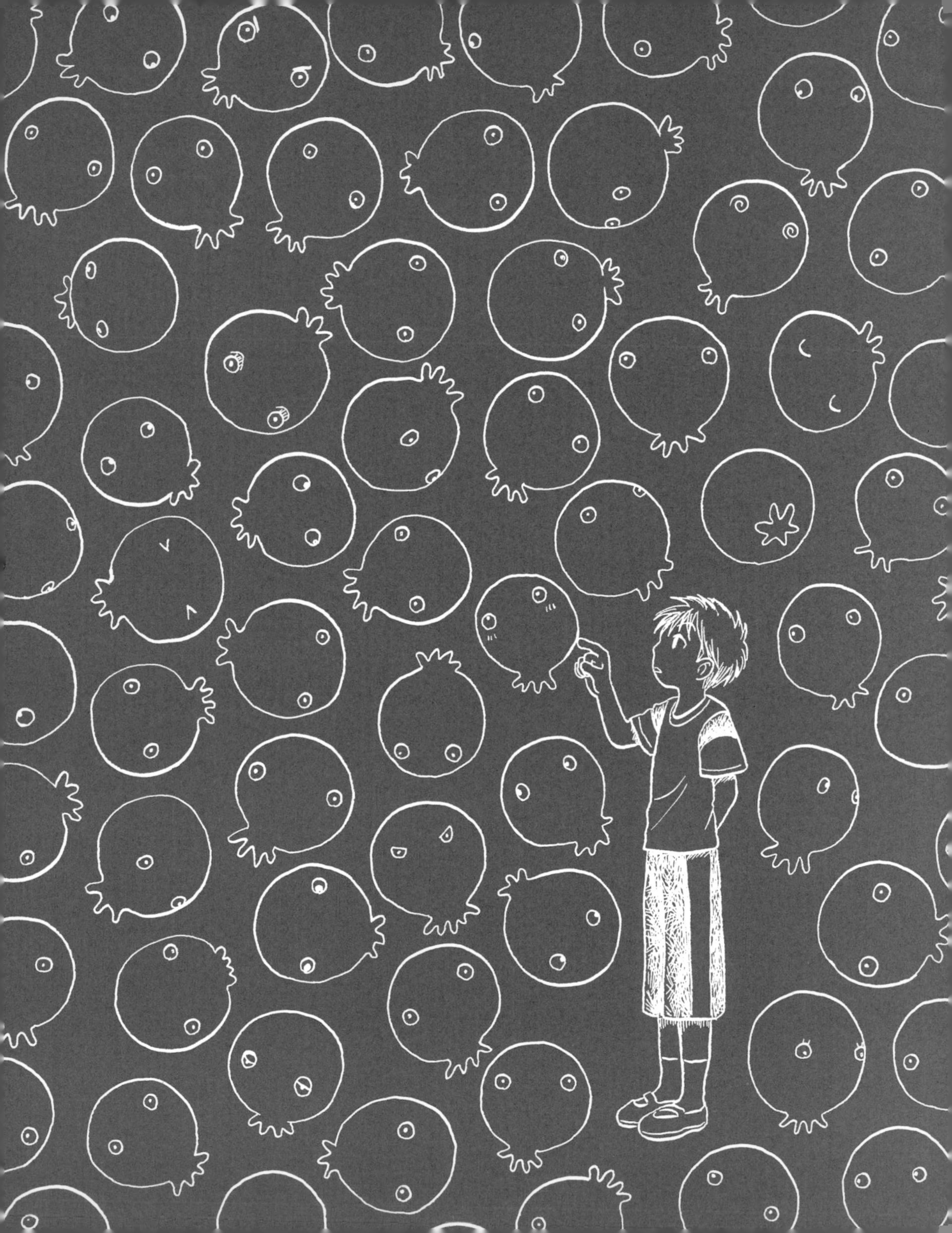

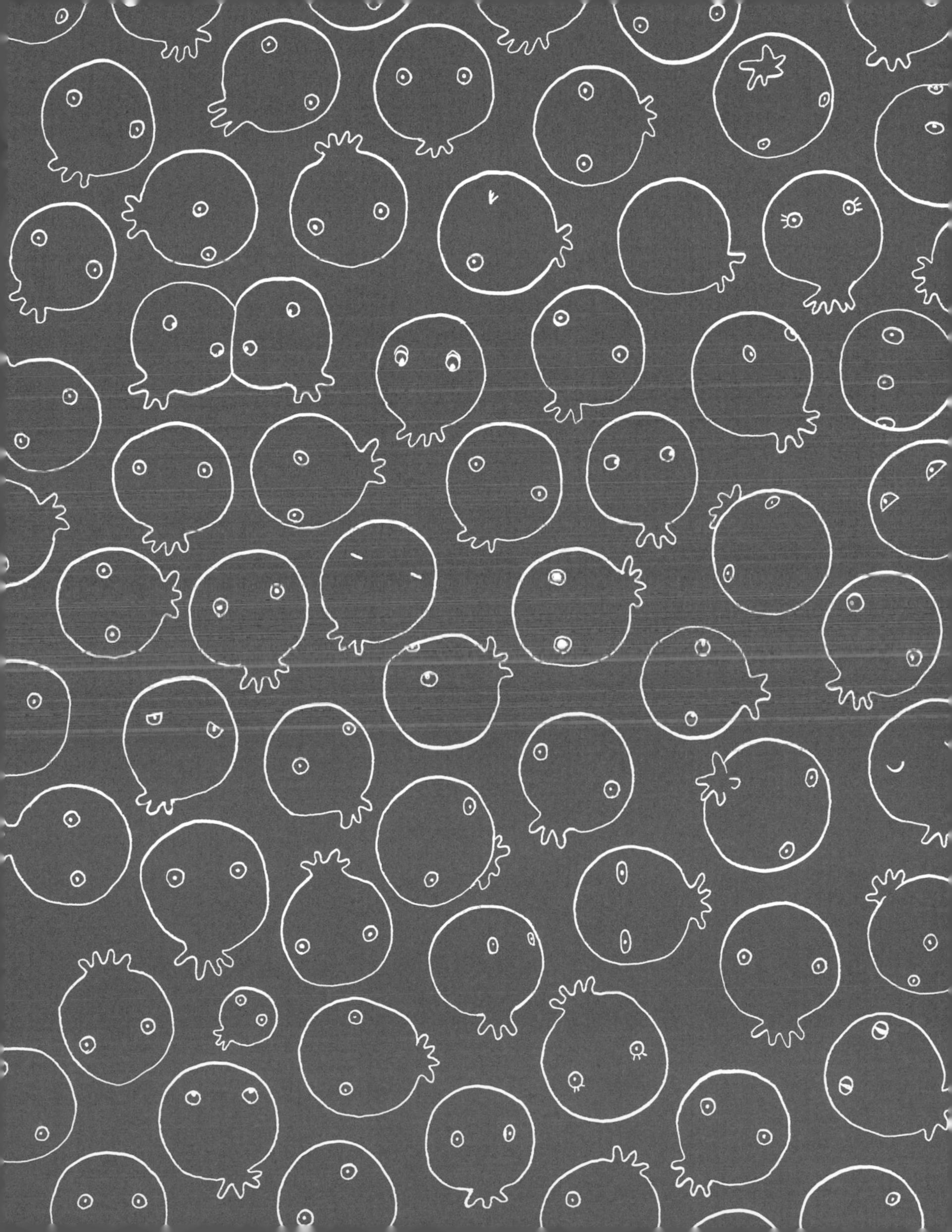